Dal ati, Gwen!

Siân Lewis

Lluniau Helen Flook

Gomer

Cyhoeddwyd gyntaf yn 2015 gan
Wasg Gomer, Llandysul, Ceredigion, SA44 4JL
www.gomer.co.uk

ISBN 978 1 84851 907 7

Cyhoeddwyd gyda chefnogaeth Llywodraeth Cymru.

Argraffwyd a rhwymwyd yng Nghymru gan
Wasg Gomer, Llandysul, Ceredigion.

Pennod 1

Helô, Eic

Merch fach swil oedd Gwen.

Merch fach dawel hefyd.

Roedd hi'n darllen yn dawel un bore Sadwrn, pan glywodd hi sŵn y tu allan i'w drws.

'Cwc-w!' gwaeddodd llais uchel. 'Dere â sws. Iym-iym-iym.'

Agorodd y drws a daeth cawell mawr i mewn. Yn y cawell roedd Eic, y parot.

Safodd Eic ar ei goes chwith a chwifio'i goes a'i adain dde. 'Haia, Mwnci!' gwaeddodd ar Gwen.

'Nawr, nawr, Eic,' meddai Tom drws nesa. Tom oedd yn gwthio'r cawell. 'Rwyt ti'n mynd i aros gyda Gwen am fis. Bydd yn barot da.'

Syllodd Eic ar Gwen a'i ben ar dro. 'Twmffat!' gwaeddodd, a chwerthin dros y lle.

Gwenodd Gwen.

'Hm!' meddai Tom.

Roedd Eic yn barot siaradus iawn. Roedd e wedi dysgu cant, saith deg ac wyth o eiriau, ac roedd Tom wedi rhestru pob gair mewn llyfr.

Tynnodd y llyfr o'i boced a'i roi ar y bwrdd. 'Mae'n bryd i Eic siarad yn gall,' meddai Tom. 'Tria ddysgu geiriau call iddo, tra bydda i i ffwrdd, Gwen.'

Nodiodd Gwen yn swil. Roedd Tom yn aelod o grŵp pop Y Gorilas, ac roedd e'n mynd i Awstralia am fis crwn.

‘Hwyl fawr, Gwen!’ meddai Tom. ‘A hwyl fawr, Eic!’ Gwthiodd ei fys drwy farrau’r cawell. Neidiodd Eic ar y bys.

‘Ta ta tan toc,’ crawciodd y parot, a neidio i ffwrdd.

'Twmffat!' ychwanegodd, wrth i Tom fynd allan drwy'r drws. Safodd ar ei goes dde, ac estyn ei goes a'i adain chwith. Chwarddodd yn uchel.

Pennod 2

Brring-Brring!

Roedd Eic yn swnllyd iawn drwy'r bore. Roedd e'n rhuo fel beic modur, yn plinc-ploncian fel gitâr, yn canu fel ffôn.

'Brring-Brring!' gwaeddodd Eic. 'Brring-Brring!'

'Bobol bach!' meddai Mam, ar ôl rhedeg at y ffôn am y trydydd tro. 'Eic! Rwyt ti wedi fy nhwyllo i eto!'

'Twmffat!' crawciodd Eic, a chwerthin yn uchel a'i lygaid bach llwyd yn disgleirio.

Pan ganodd cloch y drws ffrynt, hedfanodd Eic i ben ucha'i gawell a gwthio'i big drwy'r barrau.

'Helô, Tom!' gwaeddodd yn gyffrous.

'Nid Tom sy 'na,' sibrydodd Gwen. 'Mae Tom ar ei ffordd i Awstralia.'

'Helô, Tom!' gwaeddodd Eic yn uwch.

Daeth Mam yn ôl i'r stafell fyw ar ei phen ei hun.

'Pw!' meddai Eic.

Roedd gwên fawr ar wyneb Mam. 'Anwen Rhys oedd wrth y drws,' meddai wrth Gwen. 'Mae hi'n cychwyn Clwb Canu ac Actio i blant yn y Ganolfan nos Wener, ac mae hi eisiau i ti fynd.'

Ysgydwodd Gwen ei phen mewn braw.

'Bydd dy ffrindiau di yn y Clwb,' meddai Mam.

Ysgydwodd Gwen ei phen, a chau ei llygaid yn dynn.

'Iawn,' meddai Mam. 'Dim ots.'

Aeth Mam allan i'r gegin, ac yn sydyn roedd pobman yn dawel.

Roedd hyd yn oed Eic yn dawel. Pan agorodd Gwen ei llygaid, roedd Eic yn eistedd ar ei glwyd a'i big ar ei frest.

Pennod 3

Sh!

Yn y bore, roedd pig Eic yn dal ar ei frest.

'Be sy'n bod ar Eic?' gofynnodd Gwen.

'Colli Tom mae e, dwi'n meddwl,' meddai Mam. 'Rhaid i ni siarad ag e i godi ei galon.' Closiodd Mam at farrau'r cawell. 'Helô, Eic bach. Cwtshi-cw,' suodd.

‘Sh!’ chwyrnodd Eic.

‘O-o!’ meddai Mam. ‘Siarada di ag e, Gwen.’

Safodd Gwen o flaen y cawell. 'Helô, Eic,' meddai'n swil.

'Hmff!' meddai Eic a throi ei gefn.

Agorodd Gwen lyfr geiriau Eic. 'Helô. Haia. Bolgi bach,' darllenodd yn ofalus. 'Mi welais Jac-y-Do. Eic yw'r gorau. Bwci-bo . . .'

'Sssss!' hisiodd Eic cyn iddi orffen y dudalen gyntaf.

‘Beth am air newydd sbon?’ meddai Mam. ‘Falle bydd Eic yn mwynhau dysgu gair newydd.’

Aeth Gwen i nôl ei geiriadur a chwilio am air hir.

'Hipopotamws,' meddai wrth Eic.

'Grrr!' atebodd y parot.

Daeth Dad adre. 'Mae Tom yn chwarae ei gitâr ac yn canu drwy'r amser,' meddai Dad. 'Beth am i ni'n tri ganu cân i Eic?'

Closiodd Mam, Dad a Gwen at y cawell.
'Mi welais Jac-y-Do,' canodd y tri'n fwyn ac yn dawel. 'Yn eistedd ar y . . .'

Cyn iddyn nhw ganu nodyn arall, rhuodd Eic fel roced a ffrwydro i'r awyr. Glaniodd ar ei glwyd, gwthio'i big drwy'r barrau a hisian yn gas.

Wedyn fe drodd ei gefn unwaith eto, a thynnu un o'i blu llwyd.

Wrth i'r bluen chwyrlïo tuag at lawr y cawell, clywodd Gwen lais bach, bach yn mwmian, 'Helô, Tom. Helô, Tom. Helô, Tom.'

Pennod 4

Sssss!

Erbyn prynhawn dydd Iau roedd pentwr o blu llwyd ar lawr y cawell. Ffoniodd Mam y milfeddyg mewn panig.

‘Mae parot yn tynnu ei blu pan fydd e’n drist,’ meddai’r milfeddyg. ‘Rhaid i chi ei gadw e’n hapus.’

'Ond mae e'n colli Tom,' llefodd Mam. 'Ac mae tair wythnos arall cyn i Tom ddod adre. Erbyn hynny bydd Eic druan yn foel! Beth wnawn ni?'

Fe wnaeth Mam a Dad eu gorau glas i helpu Eic.

Rhoddodd Mam y cawell o flaen y teledu a dewis rhaglen hyfryd am fyd natur. Tinciodd miwsig swynol drwy'r stafell.

'Ssssss!' meddai Eic, a phoeri llond ceg o hadau at y sgrin.

Agorodd Dad ei bapur newydd a darllen y newyddion diweddaraf am dîm rygbi Cymru i Eic.

Roedd gan Dad lais mwyn a hyfryd ac roedd Gwen wrth ei bodd yn gwrando arno'n darllen stori. Ond doedd Eic ddim wrth ei fodd. Erbyn i Dad orffen darllen, roedd Eic wedi tynnu saith o'i blu a'u poeri i'r llawr.

'Helô, Tom. Helô, Tom,' mwmianodd yn drist, a syllu ar Gwen a'i lygaid yn hanner cau. Agorodd ei big a'i gau heb ddweud gair. Ochneidiodd.

Pennod 5

Eic, druan

Y noson honno swatiodd Gwen yn ei gwely. Yn y stafell islaw roedd Mam a Dad yn darllen yn dawel. Roedd Eic yn hollol dawel hefyd. Dychmygodd Gwen glywed plu'n disgyn i'r llawr.

Druan ag Eic. Sut gallai hi ei wneud e'n hapus a swnllyd unwaith eto? Lapiodd Gwen ei breichiau am ei gobennydd a'i wasgu'n dynn. Mewn stori byddai'r arwres ddewr yn gwybod yn union beth i'w wneud.

Ond doedd hi ddim yn arwres. Oedd hi?

Yn y bore cripiodd Gwen i lawr y grisiau. Yn gyflym iawn, cyn iddi newid ei meddwl, sibrydodd neges yng nghlust Mam. Edrychodd Mam arni'n syn.

'Beth ddywedest ti?' gofynnodd.

‘Dwi eisiau mynd i’r Clwb Canu ac Actio heno,’ meddai Gwen mewn llais bach. Ac yna mewn llais uwch, ‘Dwi eisiau mynd i’r Clwb yn y Ganolfan heno. Allwch chi ffonio Anwen, yr athrawes, a gofyn a ga i fynd i’w gweld hi?’

Ar ôl i Mam ffonio, fe gydiodd Gwen yn llyfr geiriau Eic a mynd i eistedd wrth y cyfrifiadur yn y stafell gefn. Ar y cyfrifiadur fe deipiodd gân bop arbennig o'r enw Cân Eic.

Aeth Mam a Gwen â'r gân i Anwen ar eu ffordd i'r ysgol.

Pennod 6

Dal ati, Gwen!

Fwytodd Gwen ddim llawer o swper y noson honno. Roedd ei bol yn crynu.

Fwytodd Eic ddim byd o gwbl. Roedd e'n rhy drist.

Ar ôl swper, aeth Gwen i'r Ganolfan. Yn y Ganolfan roedd criw o'i ffrindiau ysgol yn sefyll mewn rhesi ar y llwyfan. Cripiodd Gwen tuag atyn nhw. O'u blaenau safai Anwen, yr athrawes, yn ymyl sgrin fawr.

'Mae Gwen wedi cyrraedd!' gwaeddodd pawb.

'Da iawn!' meddai Anwen, gan wincian.
'Rydyn ni'n barod i ganu dy gân di, Gwen.'
Cododd Anwen ei gitâr a chwarae tiwn
Mi welais Jac-y-Do yn uchel. 'Ar ôl tri,' galwodd.
'Un, dau . . . TRI!'

Fflachiodd geiriau'r gân ar y sgrin, ac agorodd pawb eu cegau ond am Gwen.

Roedd Gwen yn gwylio Mam a Dad yn gwthio parot bach trist at ddrws y Ganolfan. Cyn bo hir byddai Eic yn clywed y gitâr a'r canu swnllyd. Byddai'n siŵr o godi ei galon.

Ond . . .

Edrychodd Gwen o'i chwmpas. Doedd neb yn canu. Yn lle canu, roedd pawb yn edrych ar eiriau'r gân ac yn chwerthin.

Eic, druan! Gwichiodd Gwen ac agor ei cheg. Wrth i Eic ddod drwy'r drws, hedfanodd ei llais bach main drwy'r neuadd.

'Dere â sws i fi. Helô.'

Cododd Eic ei ben fymryn bach, pan glywodd lais Gwen.

'Haia, Mwnci. Bwci-bo,' canodd Gwen.

Bob ochr iddi fe stopiodd y chwerthin.

‘Bolgi bach. Cwtshi-cw,’ canodd ei ffrindiau.

‘Iym-iym-iym. Cwc-w.

Eic yw’r gorau. Io-ho-ho!’

‘Unwaith eto!’ galwodd Anwen. ‘Yn uwch!’

Y tro hwn tynnodd pawb anadl fawr a bloeddio ar dop eu llais. Bloeddiodd Gwen gyda nhw. Erbyn yr 'Io-ho-ho!' olaf, roedd pawb yn wên o glust i glust, ac yn gwylio rhywun bach llwyd yn sboncio a chicio'i goes i'r miwsig bywiog.

'Waw!' meddai Anwen. 'Dyna gân dda! Dal ati, Gwen!'

'Dal ati, Gwen!' gwaeddodd llais hapus o'r cefn. 'Dal ati, Gwen! Twmffat!'

Pennod 7

Haia, Hipopotamws

Tair wythnos yn ddiweddarach, roedd Eic a Gwen yn swatio yn y stafell fyw. Roedden nhw'n gwylio Tom yn dod at y drws ffrynt.

'Barod, Eic?' sibrydodd Gwen.

'Crawc,' meddai Eic, gan droi at y drws a chwyddo'i frest hardd.

Wrth i Tom ddod i mewn, bloeddiodd e a Gwen ar dop eu llais.

'Helô, Tom. Helô, helô.

'Haia, Mwnci. Bwci-bo.'

'Waw!' gwaeddodd Tom yn falch. 'Rwyt ti wedi dysgu Eic i ganu, Gwen.'

Sgrechiodd Eic fel injan dân a hedfan at Tom. 'Haia, hipopotamws!' gwaeddodd yn ei glust.

'Ac rwyt ti wedi dysgu gair newydd iddo, Gwen!' meddai Tom.

'Dwi wedi dysgu sawl gair i Eic,' meddai Gwen a dangos y llyfr geiriau. 'A sawl cân, achos dwi'n mynd i'r Clwb Canu ac Actio bob nos Wener.'

'Wel, ardderchog!' meddai Tom. 'Dal ati, Gwen! Dwi'n meddwl y dylai Eic ddod i aros gyda ti bob penwythnos. Beth amdani?'

Sbonciodd Gwen a gwenu o glust i glust.

'Beth wyt ti'n ddweud, Eic?' gofynnodd Tom.

'Tw . . .' crawciodd Eic, ac ymestyn ei adenydd.

'Sh, nawr!' meddai Tom. 'Dim geiriau dwl.'

Hedfanodd Eic at Gwen ar ras.

'Twmffatotamws!' gwaeddodd, gan grawcian dros y lle. 'Helô, Gwen. Twmffatotamws!'